JEAN-PIERRE MAURY

LE VENT ET LES NUAGES

Illustrations de Jean-François Pénichoux

Ministère
de l'Education Nationale

Le Palais de la Découverte est apparu, au sein du Grand Palais, à l'occasion de l'Exposition Universelle de 1937.

Depuis un demi-siècle, en suivant le progrès scientifique et en recourant à des techniques de présentation sans cesse améliorées, il offre à des visiteurs toujours plus nombreux l'occasion d'un premier contact avec l'astronomie, la biologie, la chimie, les mathématiques, la physique et les sciences de la Terre : contact aussi actif que possible grâce à des démonstrations et à la prise en main directe de multiples expériences ; contact prolongé pour ceux qui le désirent et disposent déjà d'une formation scientifique et technique, par des conférences sur l'actualité de la recherche.

Fait par et pour ceux qui aiment les sciences, lieu de loisir enrichissant, le Palais peut se flatter d'avoir servi de référence à d'autres établissements créés à l'étranger, et d'être resté, dans le souvenir de nombreux scientifiques, l'endroit où s'est éveillée leur vocation.

Vous aussi, le Palais espère vous accueillir.

En attendant, il vous propose ce livre, qui sera une ouverture sur le monde si riche et si pleinement humain de la connaissance scientifique.

Avenue Franklin-D.-Roosevelt 75008 PARIS.
M° Champs-Élysées-Clemenceau ou Franklin-D.-Roosevelt
Ouvert tous les jours de 10 h à 18 h sauf le lundi (fermé le 1er janvier, 1er mai, 14 juillet, 15 août et 25 décembre).
Renseignements tél. : 43.59.18.21 (répondeur).
Visites spéciales pour groupes tél. : 43.59.16.65 poste 8015.

Le « mauvais temps »

Tout le monde déteste la pluie, le promeneur, le marin, l'automobiliste, et même le paysan, qui déplore la sécheresse quand il ne pleut pas, mais trouve toujours quelque chose à déplorer quand il pleut.

Pourtant, tout le monde sait que, sans pluie, il n'y aurait pas de vie sur la Terre, pas de rivières, pas de plantes, pas d'animaux. Tout cela dépend des nuages qui portent la pluie, et du vent qui pousse les nuages.

Et qui fabrique les nuages, et donne naissance au vent ? Il y a à peu près trois cents ans que les hommes ont trouvé la réponse à ces questions : c'est le Soleil. De quelle manière, on ne le sait pas encore complètement. Mais on comprend déjà une bonne partie des aventures du vent et des nuages...

La naissance d'un nuage

Parmi tous les types de nuages, le plus sympathique est certainement le « cumulus de beau temps », le nuage blanc joufflu qui se détache dans le ciel bleu d'un après-midi d'été. Il n'est pas du tout menaçant, sa présence rend le reste du ciel encore plus bleu, et si on demande à quelqu'un de dessiner un nuage, c'est toujours celui-là que l'on voit apparaître.
Comme il est bien délimité, il est plus facile à étudier, et pourtant, sa naissance met en jeu les mêmes causes que celle des systèmes nuageux plus grands et plus compliqués : au départ, il y a toujours une masse d'air humide qui se met à monter.

L'air humide, c'est l'air qui contient de la vapeur d'eau. On ne peut pas s'en rendre compte en le regardant, car la vapeur d'eau est un gaz transparent, aussi transparent que l'air.

Pourtant, on parle souvent de « panaches de vapeur », que l'on voit par exemple à la sortie du bec d'une bouilloire, ou de la soupape d'une cocotte-minute. Mais c'est une erreur. Ce n'est pas du tout de vapeur qu'il s'agit là, mais de nuages de très fines gouttelettes de liquide. À partir du moment où on voit quelque chose, il ne peut pas s'agir de vapeur d'eau, qui est un ga invisible.

Notre haleine, par exemple qui contient beaucoup de vapeur d'eau, est tout à fait invisible, sauf s'il fait très froid Mais justement, quand il fait très froid, une partie de la vapeur d'eau que nous soufflons se transforme très vite en gouttelettes de liquide. C sont ces gouttelettes qui forment devant notre bouche une sorte de brouillard.

L'air saturé

En effet, l'air ne peut pas contenir plus d'une certaine proportion de vapeur d'eau, et cette proportion dépend de la température. À 20°, par exemple, un litre d'air peut contenir au maximum 19 mg de vapeur d'eau. Si, à un moment donné, il en contient davantage, le surplus se transforme en gouttelettes de liquide, qui forment un panache, un brouillard ou un nuage. En effet, ces gouttelettes « ne comptent pas » dans les 19 mg que le litre d'air peut contenir à 20° : ces 19 mg, c'est la quantité maximum de *vapeur* présente dans le litre d'air. Il peut contenir en plus de cela une quantité quelconque de liquide.

Quand l'air contient la quantité maximum de vapeur d'eau possible à la température qu'il a, on dit qu'il est « saturé », ou encore qu'il y a 100 % d'humidité. Pour l'air à 20°, cela se produit quand chaque litre d'air contient 19 mg de vapeur d'eau.

Or, plus l'air est chaud, plus il peut contenir de vapeur. Ainsi, un litre d'air peut en contenir, au maximum :

à – 10°, 3 mg
à 0°, 6 mg
à 10°, 11 mg
à 20°, 19 mg
à 30°, 32 mg et ainsi de suite.

Si l'air contient seulement la moitié de la quantité de vapeur à laquelle il a droit, on dit qu'il y a 50 % d'humidité. Par exemple, on a 50 % d'humidité avec de l'air à 30° contenant 16 mg de vapeur par litre, ou avec de l'air à 0° qui en contient 3 mg par litre.

Suivant les moments, et suivant l'endroit où on se trouve, l'humidité varie. Comme on s'en doute bien, elle est très forte dans la forêt équatoriale, où l'air est presque toujours saturé. Dans les déserts, elle est faible, mais beaucoup moins qu'on le croirait : dans le Sahara, elle descend rarement au-dessous de 30 %. Si la température vaut 30°, un litre d'air saharien contient donc environ 10 mg de vapeur d'eau — à peu près autant qu'un litre d'air breton à 10°. En fait, l'air contient toujours de la vapeur d'eau. On pourrait donc dire qu'il est toujours humide. Mais dans la pratique, on appelle « air humide » de l'air qui est près de la saturation, de l'air dont l'humidité vaut au moins 70 ou 80 %. Avec ses 30 %, l'air du Sahara est sec, et même très sec.

Dans la forêt équatoriale, l'air est à la fois saturé et très chaud : il contient énormément de vapeur.

Quand l'air humide se refroidit

Imaginons un litre d'air à 30°, et contenant 25 mg de vapeur d'eau. Il n'est pas saturé, puisqu'à cette température il pourrait en contenir jusqu'à 32 mg.

Mais s'il se refroidit à 20°, il ne peut plus contenir 25 mg de vapeur d'eau : à 20°, un litre d'air en contient au maximum 19 mg. Il a donc fallu que le surplus de vapeur — les 6 mg en trop — se transforme en liquide. Notre litre d'air humide refroidi contient donc, sous forme de vapeur, les 19 mg auxquels il a droit, plus 6 mg de gouttelettes d'eau.

Or, si la vapeur est parfaitement transparente, les gouttelettes, elles, forment une sorte de brouillard.

C'est ainsi que notre haleine, invisible quand il fait chaud, donne par temps froid un brouillard blanc, d'autant plus net que la température est plus basse.

C'est aussi de cette manière que se forme le vrai brouillard, celui qui traîne au ras du sol et dans les vallées au début des belles journées d'été. L'air, chargé d'humidité pendant les heures chaudes, se refroidit la nuit au contact du sol, dont la température baisse vite quand la nuit est claire. Les couches d'air les plus basses deviennent ainsi saturées, et en continuant à se refroidir elles doivent perdre, sous forme de gouttelettes d'eau, une partie de la vapeur qu'elles contenaient. Au matin, il faudra un peu de temps pour que le Soleil, en réchauffant cet air, fasse s'évaporer les gouttelettes, et que « les brumes matinales se dissipent », comme dit la radio.

Enfin, c'est encore de cette

manière que se forment les nuages, à partir d'une masse d'air humide qui se refroidit. Et si elle se refroidit, c'est en général parce qu'elle monte.

L'air qui monte

Quand on s'élève dans l'atmosphère, la pression de l'air diminue*. C'est pour cela que l'on a mal aux oreilles en téléphérique, dans un petit avion qui n'est pas « pressurisé », et même dans les ascenseurs des tours assez hautes.

Si nous imaginons une certaine quantité d'air enfermée dans un sac mou, comme un ballon de caoutchouc presque complètement dégonflé, cet air est toujours à la même pression que l'air extérieur. Si nous emportons ce sac dans un téléphérique qui s'élève, la pression de l'air qu'il contient diminue.

Or, quand la pression d'un gaz diminue, sa température aussi, à moins qu'on lui fournisse de la chaleur. Comme le mouvement du téléphérique est bien trop rapide pour qu'un échange de chaleur ait le temps de se faire à travers la paroi du sac, nous ne fournissons rien du tout à cet air, et il se refroidit à mesure que sa pression baisse.

À ce propos, on peut faire une expérience très simple, qui ne montre pas vraiment le refroidissement du gaz quand sa pression baisse, mais qui montre son échauffement quand elle augmente, ce qui revient un peu au même. Il suffit de gonfler énergiquement un pneu de vélo. La pompe devient chaude, parce qu'en comprimant l'air qu'elle contient on augmente sa température. Le pneu aussi s'échauffe, d'ailleurs, puisqu'on y envoie de l'air chaud, mais c'est quelquefois plus difficile à sentir.

Ainsi, à mesure que le téléphérique s'élève, la pression de l'air enfermé dans notre sac diminue, et sa température diminue en même temps. Et si cet air n'était pas enfermé dans un sac ? Pourvu qu'il monte, cela ne changerait pas grand-chose. Il se refroidirait de la même façon, à mesure que sa pression diminuerait.

Qu'est-ce qui peut faire monter une masse d'air ? Comme nous le verrons bientôt, la cause la plus fréquente est une différence de température avec l'air environnant. Mais il y en a d'autres, et la plus facile à étudier est une chaîne de montagnes.

* Voir, dans la même collection, *L'atmosphère*.

Le nuage de crête

Imaginons une masse d'air humide, mais pas saturé, poussée par le vent vers une chaîne de montagnes. Supposons, par exemple, qu'il s'agisse d'air à 15°, contenant 11 mg de vapeur d'eau par litre.

Pour franchir la montagne, il faut bien que l'air monte. En montant, il se refroidit. Or, 11 mg de vapeur par litre, c'est le maximum possible pour l'air à 10°. Si la montagne est assez haute pour que l'air se refroidisse au-dessous de 10°, une partie de la vapeur se transforme en gouttelettes, et un nuage apparaît. En continuant à monter, l'air emmène ses gouttelettes, mais celui qui arrive derrière en fabrique à son tour, de sorte que l'arrière du nuage semble immobile.

Une fois la crête franchie, l'air redescend, sa pression augmente, il se réchauffe, et ses gouttelettes se transforment en vapeur (on dit qu'elles s'évaporent). À partir de là, l'air est à nouveau transparent. Il y a donc un endroit où le nuage cesse. On voit un nuage immobile sur la crête de la montagne, comme s'il n'y avait pas de vent. Mais en réalité, l'eau qui le forme se renouvelle constamment, de nouvelles gouttelettes apparaissant à l'arrière à mesure que celles de l'avant s'évaporent. Un tel nuage, qui semble immobile en haut d'une montagne, s'appelle un nuage de crête.

Le « cumulus de beau temps »

Par une belle journée d'été, le Soleil chauffe la campagne. Mais, suivant les endroits, l'échauffement est plus ou moins fort. Par exemple, un champ de blé mûr devient plus chaud qu'une prairie, les toits d'un village deviennent plus chauds qu'une forêt, etc. L'air qui est juste au-dessus du champ de blé devient ainsi plus chaud que celui qui est au-dessus des prairies avoisinantes.

Or, dans l'air froid, l'air chaud monte, parce qu'il est plus léger. C'est ainsi que l'air monte au-dessus d'une cigarette, entraînant la fumée vers le haut, et c'est aussi pour cette raison que les flammes sont pointues.

Donc, l'air qui est au-dessus du champ de blé commence à monter. En montant, bien sûr, il se refroidit. L'air environnant devient aussi de plus en plus froid à mesure que la hauteur augmente, mais l'air qui monte se refroidit plus vite, et il vient un moment où il est à la même température que l'air qui l'entoure. À ce moment, il cesse de monter.

Comme la différence de température n'est pas très grande au départ, cet arrêt se produit en général assez vite, et l'air ne monte pas très haut.

Sauf s'il est très humide au départ.

En effet, il peut alors arriver qu'avant de devoir s'arrêter, il se refroidisse suffisamment pour devenir saturé, et pour que son excès de vapeur commence à se condenser en gouttelettes.

Or, la condensation de la vapeur en liquide produit de la chaleur*. Ici encore, l'expérience la plus simple est l'expérience inverse, celle qui montre que l'évaporation refroidit. Pour s'en rendre compte, il suffit par exemple de mouiller son doigt et de le tenir en l'air, comme le faisaient les chasseurs indiens pour repérer la direction du vent. Du côté du vent, l'évaporation est plus rapide et provoque une sensation de froid : l'évaporation consomme de la chaleur. La transformation inverse, la condensation, fournit de la chaleur.

Ainsi, quand la vapeur contenue dans l'air qui monte commence à se condenser, elle fournit de la chaleur à cet air, qui se refroidit donc moins que s'il était sec. Se refroidissant moins, cet air reste plus léger, et donc il continue à monter beaucoup plus longtemps, et il arrive beaucoup plus haut. Bien sûr, plus il monte, plus il se refroidit, et plus la vapeur qu'il contient se condense en gouttelettes. Celles-ci deviennent

très nombreuses, et ce qu'elles forment n'est plus un brouillard : c'est un beau nuage net et joufflu, un « cumulus de beau temps ».

C'est aussi un courant d'air chaud qui entraîne vers le haut les « nuages » de fumée des signaux indiens.

* Voir, dans la même collection, *Le chaud et le froid.*

Le poids du nuage

On peut se demander pourquoi les gouttelettes ne tombent pas, sous l'effet de leur poids. La réponse, c'est qu'elles tombent ! Seulement, elles tombent très lentement, parce qu'elles sont très petites.

En effet, ce qui ralentit la vitesse de chute d'un corps, c'est la résistance de l'air. Pour qu'un homme puisse tomber de 500 mètres sans se faire mal, il suffit qu'il augmente la résistance de l'air à sa chute, au moyen d'un parachute, c'est-à-dire de quelque chose qui augmente la surface d'action de l'air.

Une fourmi, elle, peut tomber de 500 mètres sans se faire mal, et sans parachute ! Si elle est mille fois moins longue que l'homme, la surface d'action de l'air sur son corps est un million de fois plus petite (1 000 × 1 000). Mais son poids, qui la tire vers le bas, est, de même que son volume, *un milliard de fois plus petit* que celui de l'homme (1 000 × 1 000 × 1 000). Elle n'a pas besoin de parachute : en proportion de son poids, la surface d'action de l'air sur son corps est mille fois plus grande que pour l'homme !

Et les gouttelettes du nuage ? Elle sont encore mille fois plus petites que la fourmi : elles mesurent quelques microns (quelques millièmes de millimètre) de diamètre. Aussi, elles tombent très lentement : à peu près un centimètre par seconde. Le moindre remous de l'air suffit à les renvoyer vers le haut. Et si elles descendent tout de même, elles s'évaporent, tandis que d'autres gouttelettes naissent pour les remplacer, dans l'air qui monte.

C'est ainsi que le nuage peut rester en place, et pourtant il contient beaucoup d'eau. Un petit cumulus, de deux cents mètres de long, de large et de haut, contient huit millions de mètres cubes d'air (200 × 200 × 200), c'est-à-dire huit milliards de litres. S'il y a 10 milligrammes de gouttelettes par litre, le nuage contient donc 80 milliards de milligrammes d'eau liquide, soit 80 millions de grammes, ou 80 000 kilos, c'est-à-dire 80 tonnes d'eau ! Et c'est un tout petit cumulus. Un cumulus plus sérieux, plus respectable, trois fois plus long, trois fois plus large et trois fois plus haut, aurait un volume 27 fois plus grand (3 × 3 × 3) et contiendrait donc plus de 2 000 tonnes d'eau !

Même dans la meilleure position possible, le corps humain n'offre pas une grande surface à la résistance de l'air.

La blancheur du nuage

Les cumulus de beau temps sont d'un blanc éblouissant, presque aussi éblouissant que celui des montagnes couvertes de neige, C'est parce que les gouttelettes qui les forment renvoient très bien, dans toutes les directions, la lumière du Soleil, parce qu'elles sont extrêmement nombreuses. Revenons à notre cumulus qui contient 10 milligrammes d'eau liquide par litre. Combien cela fait-il de gouttelettes ?

Chaque gouttelette a quelques microns de diamètre (quelques millièmes de millimètre). Son volume vaut donc quelques milliardièmes de millimètre cube — mettons cent milliardièmes. Il faut donc dix millions de gouttelettes pour faire un millimètre cube, qui pèse un milligramme. Si un litre du cumulus contient dix milligrammes d'eau liquide, cela veut dire qu'il contient cent millions de gouttelettes !

Il n'est pas étonnant que le cumulus ressemble à un champ de neige, et renvoie dans toutes les directions la lumière du Soleil.

L'ami du pilote de planeur

Une fois lancé, le planeur descend, en « vol plané ». Pour qu'il puisse s'éloigner du sol, il faut qu'il se trouve dans une masse d'air qui s'élève plus vite que lui-même ne descend, dans un courant d'air montant, ce que l'on appelle un courant « ascendant ».

Pour pouvoir voler longtemps, le pilote doit donc savoir trouver les courants ascendants. Il y en a de plusieurs sortes, qui ont des causes variées. Mais le plus fréquent, et le plus facile à trouver, c'est celui qui monte sous un cumulus — celui auquel le cumulus doit son existence.

Si le pilote de planeur repère un bon gros cumulus, il va se mettre dessous, et il tourne en rond, pour profiter de l'ascenseur, jusqu'à ce qu'il ait atteint une altitude suffisante. Il peut alors se lancer en ligne droite, et voler, en descendant un peu, jusqu'au cumulus suivant, et ainsi de suite.

Voilà donc encore une preuve que le cumulus naît dans un courant d'air ascendant. Mais cet air qui monte, d'où vient-il ? C'est l'air plus frais des environs, qui vient remplacer, au-dessus du champ de blé, l'air chaud qui s'élève. Il y a donc un courant d'air à ras du sol, depuis les environs frais jusqu'au champ de blé. Un courant d'air au-dessus du sol, à la campagne, cela s'appelle du vent...

ZX 74

La naissance du vent

D'où vient le vent ? Il est tellement important pour les hommes qu'ils se sont posé très tôt la question. Pas cette question-là exactement, d'ailleurs : ils se sont demandé d'où venaient « les vents ». En effet, pour les Anciens, le vent du Nord-Ouest, frais et humide, était forcément un personnage différent du vent du Sud-Est, chaud et sec. Ils avaient donc imaginé toute une équipe de vents, qu'un dieu spécial, Éole, autorisait à souffler chacun à son tour.
Il a fallu bien des siècles pour se rendre compte qu'il n'y avait pas besoin d'Éole : celui qui « décide » d'où le vent doit souffler, c'est le Soleil.

Quand « il n'y a pas de vent », au bord de la mer, il y en a quand même... Dire qu'il n'y a pas de vent, en Bretagne, cela veut dire que le grand vent d'ouest habituel s'est calmé.

Brise de mer, brise de terre

On découvre alors un petit vent local, plutôt gentil, qui vient de la mer pendant la journée et de la terre pendant la nuit. C'est ce que l'on appelle, suivant les cas, la brise de mer ou la brise de terre. Autrefois, au temps de la marine à voiles, les bateaux se servaient de ces deux brises, par temps calme, pour entrer dans les ports ou en sortir, simplement en choisissant leur heure, à condition que la marée soit dans le bon sens, ou qu'elle ne soit pas trop forte, car ce sont de petites brises

D'où viennent-elles ? Et pourquoi le vent change-t-il de sens entre le jour et la nuit ?

C'est parce que la terre se réchauffe le jour, et se refroidit la nuit, beaucoup plus que la mer, qui garde à peu près la même température.

Ainsi, vers neuf heures du matin, la surface de la terre devient plus chaude que la mer, et la différence augmente jusqu'à deux ou trois heures de l'après-midi. Puis la terre commence à se rafraîchir, à mesure que le Soleil descend vers l'horizon. Vers neuf heures du soir, la terre devient plus froide que la mer, et se refroidit de plus en plus jusqu'à l'aube.

Or, la brise va du froid vers le chaud. Nous allons voir pourquoi.

La brise de mer et ses nuages

Vers midi, la terre est beaucoup plus chaude que la mer, et à son contact l'air s'échauffe plus qu'au-dessus de la mer. Étant plus chaud, comme nous l'avons vu au chapitre précédent, il monte. Mais, bien sûr, son départ ne va pas laisser au-dessus du sol un espace vide : à mesure que l'air chaud monte, de l'air frais vient le remplacer à partir de la mer, se réchauffe, monte à son tour, et ainsi de suite.

Il s'établit donc un courant d'air qui va de la mer vers la terre, une « brise de mer ».

Bien sûr, cet air est en général assez humide, et en montant il donne souvent naissance à des chapelets de petits cumulus de beau temps. On voit naître ceux-ci à peu près à la limite de la mer et de la terre. Les baigneurs qui sont à l'ombre voient le ciel bleu au-dessus de la mer — là d'où vient le vent — et ils espèrent que les nuages vont s'en aller...

Ils s'en vont, certes, mais d'autres naissent à leur place, toujours au même endroit. C'est à croire que le diable s'en mêle ! Mais ce n'est pas le diable, c'est tout simplement le Soleil, qui à la fois chauffe la terre, et charge d'humidité l'air marin. Ainsi, il réunit les conditions pour que naisse un nuage : de l'air humide qui monte.

La brise de terre

Vers minuit, la mer est moins froide que la surface de la terre. C'est une des raisons qui rendent agréables les bains de minuit : par contraste, l'eau paraît plus chaude que pendant la journée, alors qu'elle est à la même température, voire un petit peu plus froide...

L'air qui se trouve au-dessus de la terre est donc plus froid qu'au-dessus de la mer. Il se passe l'inverse de ce qui se passait dans la journée : l'air au-dessus de la mer monte, et l'air froid vient de la terre pour le remplacer. Il se réchauffe à son tour, il monte, et ainsi de suite. Il y a donc un courant d'air de la terre vers la mer, une brise de terre.

En général, cette brise est moins forte que la brise de mer de la journée, parce que la différence entre les températures de la mer et de la terre est moins grande.

Et pourquoi la mer reste-t-elle pratiquement à la même température le jour et la nuit ? C'est surtout parce qu'elle bouge : ses mouvements brassent l'eau, et ce n'est pas toujours la même qui reste à la surface.

Sur la terre, c'est seulement la surface qui s'échauffe le jour et se refroidit la nuit. Dans une cave assez profon-

de, la température reste la même le jour et la nuit, et dans un terrier aussi. Dans le Sahara, par exemple, le sol devient très chaud le jour (jusqu'à 50°) et il se refroidit la nuit au-dessous de zéro. Mais à 1,5 mètre de profondeur, dans le terrier d'une gerboise, il fait toujours entre 20° et 25° !

De la même façon, si l'eau de la mer était immobile, sa température ne changerait qu'en surface. À un mètre ou deux de profondeur, la température resterait toujours la même. Et comme la mer bouge constamment, le peu d'eau qui se réchauffe ou qui se refroidit en surface se mélange à la grande masse d'eau située au-dessous, et dont la température ne varie pratiquement pas.

Il y a une autre raison pour que la mer reste plus fraîche le jour, même en surface : l'évaporation la rafraîchit, de même qu'elle rafraîchit le doigt mouillé du chasseur indien. En même temps, cette évaporation charge l'air de vapeur, et le rend capable de donner naissance, quand il monte, à des nuages.

Au contraire, l'air qui vient de terre, la nuit, s'est déjà débarrassé, en se refroidissant, d'une bonne partie de sa vapeur, sous forme de gouttes de rosée par exemple. Il a beaucoup moins tendance à former des nuages, et s'il en forme, c'est au-dessus de la mer, à une certaine distance de la côte. Le baigneur, qui maudissait les nuages pendant la journée, voit la nuit un ciel clair au-dessus de sa tête, et dit que, décidément, le diable s'en mêle !

Hautes pressions, basses pressions

Ainsi, au voisinage des côtes et au niveau du sol, la brise — de mer ou de terre suivant les moments — va du froid au chaud, de la terre à la mer pendant la nuit, et de la mer à la terre pendant la journée.

Mais comment l'air « sait-il » où il doit aller ? Qu'est-ce qui le met en mouvement le long du sol ? Les différences de pression. L'air a toujours tendance à aller d'un endroit où la pression est forte à un endroit où elle est faible.

Dans un pneu bien gonflé, par exemple, la pression de l'air est beaucoup plus forte à l'intérieur qu'à l'extérieur. L'air intérieur appuie sur la cloison de caoutchouc beaucoup plus fort que l'air extérieur. Si cette cloison crève, l'air se précipite de l'intérieur (haute pression) vers l'extérieur (basse pression).

De la même façon, quand on gonfle le pneu, si l'air de la pompe passe dans le pneu, c'est parce qu'en appuyant sur la pompe, on comprime l'air qu'elle contient : sa pression devient plus forte que celle de l'air du pneu. L'air passe de la pompe (haute pression) au pneu (basse pression).

Dans l'atmosphère, la pression de l'air au niveau du sol est produite par le poids de l'air qui est au-dessus. L'air chaud étant plus léger que l'air froid, la pression au sol sera plus faible à un endroit surmonté d'air chaud (la plage ensoleillée) qu'à un endroit surmonté d'air plus frais (la mer pendant la journée).

Ainsi, pendant la journée, la pression de l'air au voisinage du sol est plus forte sur la mer que sur la plage : l'air se déplace de la mer (haute pression) à la terre (basse pression).

Attention : il s'agit là des pressions au voisinage du sol, et du déplacement de l'air au voisinage du sol. En haute altitude, les choses sont toutes différentes. Par exemple, que devient l'air, venu de la mer au ras de la surface, qui monte au-dessus de la terre pendant la journée ? En haute altitude, il « boucle la boucle », et retourne au-dessus de la mer, où il retombe, avant de repartir vers la terre, et ainsi de suite.

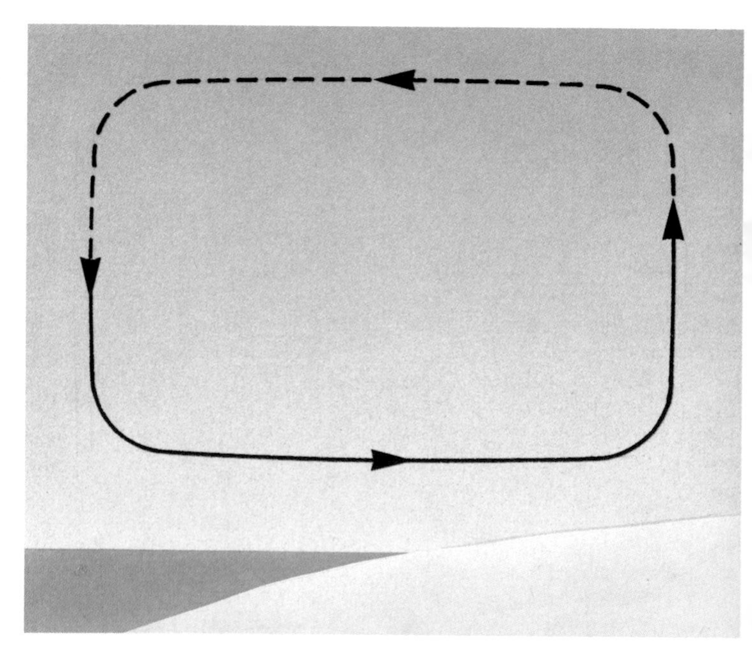

Donc, quand on parle de « zone de basse pression » ou de « zone de haute pression », c'est de pression au ras du sol qu'il s'agit, ou tout au moins de pression dans les basses couches de l'atmosphère. Ce sont ces différences de pression qui déterminent les mouvements de l'air à cette altitude basse, c'est-à-dire le vent que nous sentons. Ce qui se passe en haute altitude est tout différent, et assez souvent, comme pour la brise côtière, qu'elle soit « de terre » ou « de mer », c'est l'inverse de ce qui se passe près du sol. On parle dans ces cas-là de « contre-vent » en haute altitude.

Faibles différences, grands effets

Ces différences de pression entre deux endroits, qui donnent naissance au vent, sont des différences très petites. Pour s'en rendre compte, il faut mesurer la pression, avec un baromètre.

Le modèle le plus ancien, inventé en 1644 par Torricelli, est le baromètre à mercure. Il se compose d'une cuvette pleine de mercure, sur laquelle est retourné un tube rempli de mercure aussi, avec un espace vide en haut, entre le fond du tube et le haut de la colonne de mercure qu'il contient.

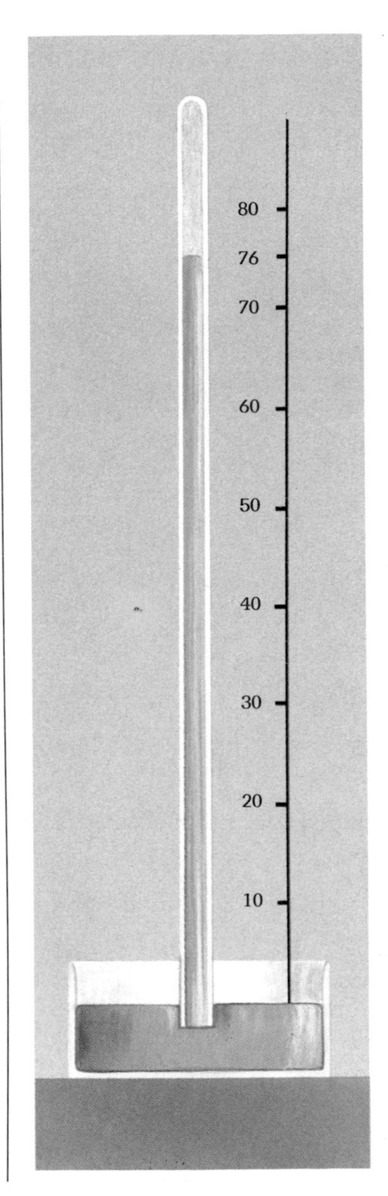

Dans cet espace, il n'y a pas d'air, il n'y a rien du tout, c'est le vide.

Qu'est-ce qui empêche la colonne de mercure de descendre sous l'effet de son poids ? C'est l'air qui appuie, tout autour du tube, sur le mercure de la cuvette. En haut de la colonne, au contraire, il n'y a rien qui appuie, puisque là, il n'y a pas d'air, c'est le vide.

Plus l'air appuie fort sur le mercure de la cuvette, plus la colonne soutenue dans le tube va être haute. La hauteur de cette colonne permet donc de mesurer la façon dont l'air appuie sur le mercure de la cuvette, c'est-à-dire la pression de l'air à cet endroit. Aussi, on mesure souvent la pression de l'air en « millimètres de mercure ». Par exemple, la pression moyenne de l'air au niveau de la mer soutient une colonne de mercure de 760 millimètres de haut : on dit que la pression moyenne de l'air au niveau de la mer « vaut 760 millimètres de mercure ».

Il y a d'autres baromètres, plus faciles à utiliser, où la valeur de la pression est indiquée par une aiguille qui se déplace devant une graduation. Mais le plus souvent, la pression qu'on lit est quand même indiquée en « millimètres de mercure ». Parfois, elle est en « millibars ». Il faut donc savoir ce que cela veut dire. La pression moyenne au niveau de la mer (760 mm de mercure) vaut 1 013 millibars. À 6 000 mètres d'altitude environ, la pression de l'air est deux fois plus faible : elle vaut 380 millimètres de mercure, ou 506 millibars.

Enfin, le millibar porte aussi un autre nom, que l'on utilise de plus en plus, le nom d' « hectopascal », dont l'abréviation est hPa. En effet, un millibar vaut cent pascals, le pascal étant l'unité internationale de pression. Dans quelques dizaines d'années, on ne trouvera sans doute plus le nom « millibar » que sur de vieux appareils et dans de vieux textes. Il faut donc retenir que la pression moyenne de l'air au niveau de la mer (760 mm de mercure) vaut 1 013 millibars, c'est-à-dire 1 013 hPa.

C'est là une valeur moyenne. La pression au niveau de la mer est tantôt plus forte, tantôt plus faible que 1 013 hPa (ou millibars). Mais elle ne s'écarte jamais beaucoup de cette valeur. Les pressions que l'on rencontre au niveau de la mer sont toujours très proches de 760 millimètres de mercure. Si le baromètre indique, par exemple, 740 millimètres de mercure, on parle déjà de « basse pression ».

Vers 6 000 m d'altitude, la pression est deux fois plus faible qu'au niveau de la mer : on respire mal.

La pression la plus basse enregistrée au niveau de la mer, au cœur d'un cyclone tropical monstrueux, est de 665 millimètres de mercure — presque 90 % de la pression normale. Ainsi, en écartant pour l'instant ce genre de monstres, les différences de pression entre une « haute pression » et une « basse pression » au niveau de la mer sont très petites : 20 ou 30 millimètres de mercure au maximum, c'est-à-dire quelques dizaines de millibars.

Pourtant, ces faibles différences suffisent à mettre l'air en mouvement, parce qu'elles créent des forces importantes. Imaginons par exemple qu'il y ait, entre les deux côtés d'une vitre une différence de pression d'un millibar (1 hPa). L'air appuierait plus fort sur une face de la vitre que sur l'autre. Avec quelle différence de force ? Sur une vitre d'un mètre carré, cette différence de force serait égale à un poids de dix kilos !

Ainsi, si nous imaginons une masse d'air en forme de cube de cent mètres de côté, avec une différence de pression d'un millibar entre l'avant et l'arrière, la force à laquelle cette masse d'air est soumise est celle qui s'exercerait sur une vitre de 100 mètres de côté, soit une surface de 10 000 m^2. Ce serait une force égale à un poids de 100 000 kilos, soit cent tonnes !

Donc, les différences de pression, même faibles, donnent naissance à de grandes forces si elles s'exercent sur de grandes surfaces, comme celle d'une masse d'air importante. Et par conséquent, elles suffisent à mettre en route des vents puissants.

Les grands vents, à l'échelle de la Terre entière

Quand on sait comment naît un petit vent local, comme la brise côtière, on a envie d'utiliser les mêmes explications pour les grands vents, qui parcourent des milliers de kilomètres à la surface de la Terre.

Seulement — on s'en doute bien — ceux-ci sont beaucoup plus compliqués, pour plusieurs raisons : présence des continents et des océans, des chaînes de montagnes, des grands courants marins, et surtout du mouvement de la Terre sur elle-même, qui fait un tour en 24 heures, ce qui correspond, à l'équateur, à une vitesse de plus de 1 600 km/h.

Le vent garde parfois la même direction pendant des centaines de kilomètres.

Si nous laissons de côté, pour l'instant, toutes ces complications, et si nous imaginons une Terre bien lisse qui ne tourne pas, est-ce que nous pourrons deviner comment les grands vents s'y déplaceraient ? Essayons, et nous allons voir que nous arrivons ainsi à un mélange de vrai et de faux, c'est-à-dire que nous devinons seulement une partie de la réalité.

Tout ce que nous connaissons pour l'instant, c'est la différence de pression entre un endroit chaud et un endroit froid. La pression est plus faible là où il fait chaud, l'air y monte, et de l'air venu des zones froides (à haute pression) l'y remplace. Le vent, près du sol, va du froid au chaud.

Or, sur la Terre, il fait chaud dans les régions équatoriales, que le Soleil frappe bien d'aplomb, et froid dans les régions polaires, où, même en été, il n'est jamais très haut dans le ciel. Nous nous attendons donc à trouver une zone de basses pressions dans les régions équatoriales, et des zones de hautes pressions près des pôles.

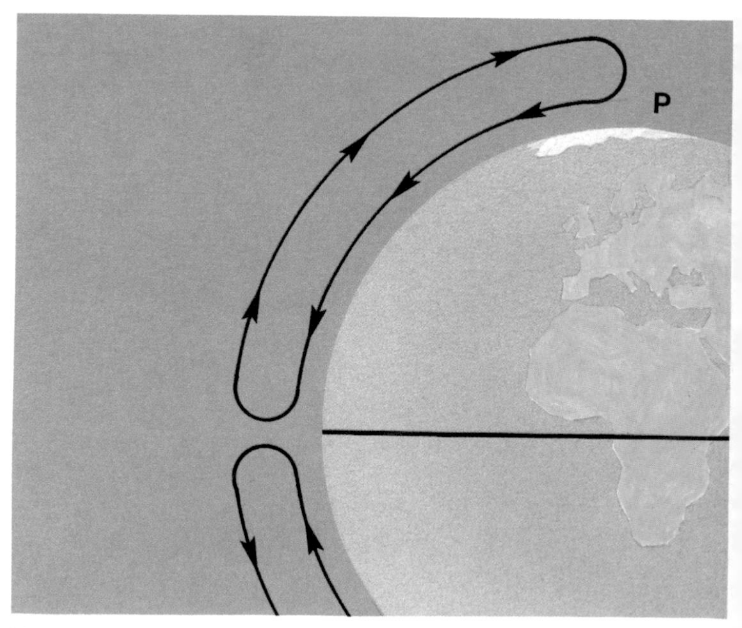

Le vent, à basse altitude, allant des zones de hautes pressions aux zones de basses pressions, nous nous attendons à voir un grand vent aller de chacun des pôles à l'équateur, l'air montant au-dessus de l'équateur et descendant au-dessus des pôles, avec un contre-vent de l'équateur aux pôles en haute altitude.

On aurait ainsi, de chaque côté de l'équateur, c'est-à-dire dans chaque hémisphère, une grande boucle de vent, montant à l'équateur et tombant au pôle.

Or, cette image n'est pas tellement loin de la réalité. Il y a bien une zone de basses pressions à l'équateur, avec un courant d'air ascendant, et une zone de hautes pressions au-dessus de chaque pôle, avec un courant d'air descendant.

Mais la « grande boucle » que nous avons imaginée se casse en trois parties : deux boucles plus petites, séparées par une zone bizarre.

Voici ce que cela donne dans l'hémisphère nord (dans l'autre, c'est la même chose à l'envers) :

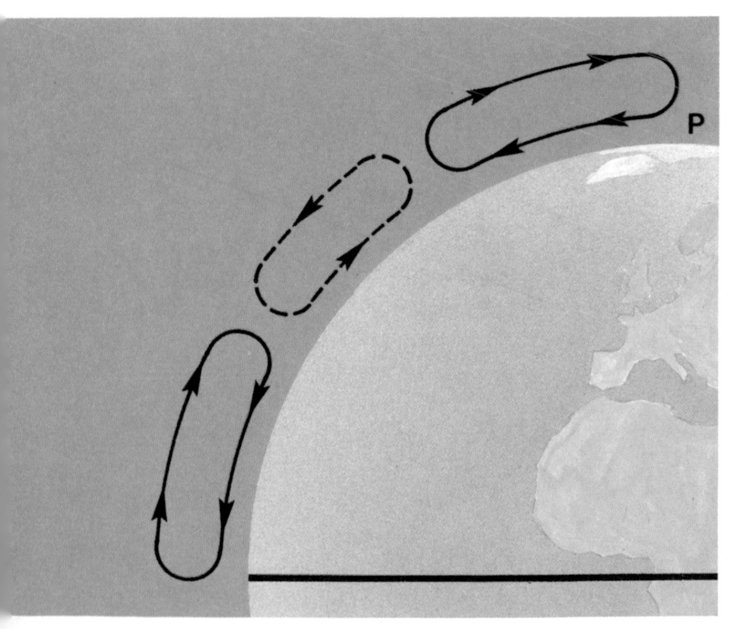

Nous voyons qu'au voisinage de l'équateur, la situation est bien celle que nous avions devinée : l'air arrive du nord à ras du sol, monte, et repart vers le nord à haute altitude.

De même, au voisinage du pôle, l'air arrive du sud à haute altitude, descend, et repart vers le sud à ras du sol.

Mais entre les deux, il se passe quelque chose que nous n'avions pas prévu.

La boucle équatoriale se referme au-dessus du tropique, qui est donc une zone de hautes pressions.

La boucle polaire se referme au-dessus du cercle arctique, qui est donc une zone de basses pressions, puisque c'est là que l'air monte.

Entre les deux boucles, nous en avons dessiné une troisième, en pointillés. Celle-là n'existe pas vraiment (et si elle existait, elle tournerait à l'envers !). La zone tempérée est en effet une zone bizarre, pour plusieurs raisons, dont la principale est facile à comprendre : elle est bordée au sud par l'air du tropique, *chaud et à haute pression,* et au nord par l'air arctique, *froid et à basse pression !* C'est le monde à l'envers !

Aussi, cette zone est le théâtre d'une guerre permanente entre les masses d'air chaud qui viennent du tropique, et les masses d'air froid envoyées du pôle vers le sud, et qui ne montent pas très vigoureusement au-dessus du cercle arctique : il y fait moins froid qu'au pôle, certes, mais ce n'est pas vraiment la canicule...

Et dans cette guerre — qui donne naissance au temps « variable » que nous connaissons bien — le mouvement de la Terre sur elle-même joue un très grand rôle. Nous allons donc devoir nous en occuper maintenant, sans oublier pourtant les renseignements que nous a fournis notre « Terre immobile ». Nous allons voir qu'ils continueront à nous être utiles dans notre étude de la Terre entraînée par la grande valse des jours.

« Calme plat »... Les voiles pendent, la mer est comme de l'huile. Il y a des régions, vers l'équateur, où cette situation est très fréquente. Au temps de la marine à voiles, les matelots attendaient parfois ainsi pendant des semaines, dans une chaleur étouffante, tandis que l'eau et les vivres diminuaient...

La grande valse

La Terre fait un tour sur elle-même en 24 heures. C'est évidemment ce mouvement qui entraîne la succession des jours et des nuits. Mais il a bien d'autres conséquences. Un tour en vingt-quatre heures, ce n'est pas beaucoup : deux fois moins que le déplacement de la petite aiguille d'une horloge. Mais la Terre est très grosse : son « tour de taille » à l'équateur vaut 40 000 kilomètres. Un point de l'équateur accomplit chaque jour un voyage de 40 000 kilomètres, ce qui fait une vitesse de 1 666 km/h !

Bien sûr, si on est assis sous un cocotier à l'équateur, on n'a pas l'impression de filer à 1 666 km/h ! C'est que le sol, le cocotier, la mer et l'air suivent le mouvement. Nous sommes habitués à repérer notre vitesse par rapport à ce qui nous entoure. Comme nous restons en place par rapport au cocotier, nous avons l'impression de ne pas bouger du tout. Pourtant, ce mouvement que nous ne sentons pas bouleverse complètement le système des vents.

Les alizés

Imaginons une masse d'air située dans la zone de hautes pressions du tropique de l'hémisphère nord, à 2 500 kilomètres au nord de l'équateur. À cet endroit, le tour de l Terre est plus petit qu' l'équateur : il mesure seulement 36 000 kilomètres. Autrement dit, un point du tropiqu fait 36 000 kilomètres e 24 heures, c'est-à-dire qu'il s déplace, vers l'est, 1 500 km/h au lieu de 166 comme un point de l'équateu

Cette masse d'air à haut pression est attirée par le basses pressions équatoriales, et se met en route vers l sud.

À mesure qu'elle se rapproche de l'équateur, elle « voit le sol au-dessous d'elle file de plus en plus vite vers l'es

Ce sont les alizés qui ont emmen Christophe Colomb et ses caraveles vers l'Amérique centrale.

En effet, la masse d'air avait au départ la même vitesse qu'un point du tropique : 1 500 km/h vers l'est. Cette vitesse, elle la garde tant que rien ne vient pousser sur elle vers l'est ou vers l'ouest. Au bout d'un moment, elle est arrivée au-dessus d'une région qui file vers l'est avec une vitesse de 1 520 km/h, par exemple. La masse d'air voit le sol au-dessous d'elle filer vers l'est avec une vitesse de 20 km/h (1 520 – 1 500).

Pour quelqu'un qui serait immobile sur le sol à cet endroit, ce serait le contraire : il verrait la masse d'air filer *vers l'ouest* avec une vitesse de 20 km/h. C'est la même chose qu'avec deux trains qui vont côte à côte vers l'est, l'un à 100 km/h, l'autre à 120 km/h. Un passager du train lent voit le train rapide aller vers l'est, à une vitesse de 20 km/h (120 – 100). Mais un passager du train rapide voit le train lent aller à reculons, c'est-à-dire vers l'ouest, à 20 km/h.

Comme le passager du train rapide, le bonhomme assis par terre voit la masse d'air reculer vers l'ouest à 20 km/h — ou plutôt à 15 km/h ou même 10 km/h, d'ailleurs, parce que l'air frotte sur la Terre, qui l'entraîne un peu dans son mouvement, et la différence est moins grande que s'il n'y avait pas de frottements.

Supposons donc que le bonhomme voie la masse d'air aller vers l'ouest à 10 km/h, et supposons aussi que sa vitesse vers le sud soit la même : 10 km/h.

En une heure, la masse d'air fait dix kilomètres vers le sud, et dix kilomètres vers l'ouest. Elle se déplace donc vers le sud-ouest. Mais pour indiquer la direction du vent, on ne dit pas où il va : on dit d'où il vient. Un vent qui va vers le sud-ouest, c'est un vent du nord-est.

Ce vent du nord-est qui souffle du tropique vers l'équateur s'appelle « l'alizé du nord-est ».

Dans l'hémisphère sud, c'est pareil, sauf que l'air qui va du tropique à l'équateur se dirige vers le nord : ici souffle l'alizé du sud-est.

Les hautes pressions tropicales et les basses pressions équatoriales sont bien installées, d'un bout de l'année à l'autre. Aussi, les alizés sont des vents réguliers, qui soufflent pratiquement toute l'année avec une force moyenne. Suivant les saisons, les hautes pressions tropicales se déplacent un peu vers le nord ou vers le sud, et l'alizé commence donc un peu plus haut et un peu plus bas, mais en général, on peut compter sur lui — sauf en cas de cyclone, nous en reparlerons bientôt.

Par exemple, c'est l'alizé qui

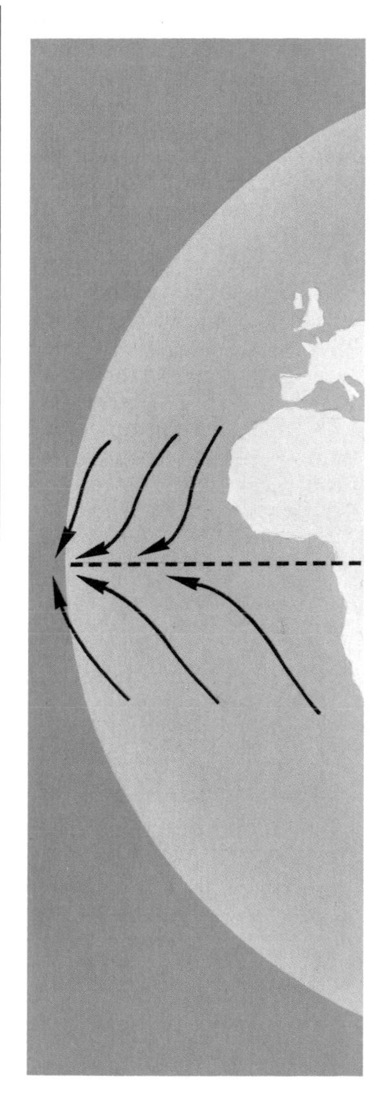

De chaque côté de l'équateur, l'alizé s'en rapproche, tout en tournant vers l'ouest.

a emmené Christophe Colomb en 36 jours des Canaries aux Bahamas (5 500 km environ). Et le voyage s'est effectué en septembre-octobre, en pleine saison des cyclones — on peut difficilement reprocher à Colomb de l'avoir ignoré ! Il a eu la chance de n'en rencontrer aucun, mais il a tout de même eu un vent moins régulier que le reste de l'année. Malgré cela, sa traversée a été rapide.

Les contre-alizés

Nous venons de voir ce qui arrive au « rez-de-chaussée » de la boucle tropicale : l'air qui va, au ras du sol, des hautes pressions tropicales aux basses pressions équatoriales, tourne vers l'ouest, et donne les alizés. Voyons maintenant ce qui arrive au « dernier étage » de cette boucle, au « contre-vent » qui passe, en haute altitude, de l'équateur au tropique.

Dans l'hémisphère nord, par exemple, cet air se dirige vers le nord. Il survole donc un sol qui va de moins en moins vite vers l'est. Cette fois, l'air va plus vite vers l'est que le sol : vu du sol, l'air va vers l'est.

Autrement dit, le contre-

alizé à haute altitude va à la fois vers le nord et vers l'est : il va vers le nord-est, exactement à l'opposé de l'alizé qui passe dessous.

Dans l'hémisphère sud, c'est la même chose : le contre-alizé va toujours vers l'est. Mais ici, en s'éloignant de l'équateur, il va vers le sud. Il se dirige donc vers le sud-est — exactement à l'opposé de l'alizé qui passe dessous.

Les vents polaires

À basse altitude, l'air va des hautes pressions polaires aux basses pressions du cercle arctique. Dans l'hémisphère nord, il va donc vers le sud. Il lui arrive la même chose qu'à celui qui va du tropique à l'équateur, et pour la même raison : il tourne vers l'ouest.

C'est d'ailleurs la seule ressemblance entre le gentil alizé et le vent féroce des régions polaires. Il faut dire que cette fois, entre le pôle et le cercle arctique, la vitesse du sol vers l'est ne passe pas de 1 500 km/h à 1 666 : elle passe de 0 à 600 km/h ! Il n'est pas étonnant que le vent soit violent !

Encore une fois, dans l'Antarctique, le vent va aussi vers

l'ouest, mais en allant vers le nord, puisqu'il vient du pôle Sud.

Ainsi, dans les deux hémisphères, le vent va généralement vers l'ouest dans les « zones régulières » situées entre l'équateur et le tropique, et entre le pôle et le cercle polaire.

Et dans la zone bizarre située entre le tropique et le cercle polaire, la zone tempérée ?

La zone tempérée

Il y a bien un vent dominant dans cette région, mais il souffle vers l'est ! C'est le vent d'ouest, que nous connaissons bien. Et cette fois, il n'y a pas de contre-vent régulier en altitude : tout l'air de cette zone se dirige, en moyenne, de l'ouest vers l'est, en tournant en rond autour de la Terre.

Près du sol, la direction du vent est variable, nous verrons bientôt pourquoi. Mais en haute altitude, dans la zone tempérée, le vent souffle toujours de l'ouest vers l'est. C'est la raison pour laquelle les avions mettent moins de temps pour aller d'Amérique en Europe que pour aller d'Europe en Amérique : six heures au lieu de sept par exemple.

En particulier, il existe, vers dix mille mètres d'altitude, un courant ouest-est très rapide qui s'appelle le « courant-jet » (*jet-stream* en anglais). Ce courant, les avions qui volent vers l'est en profitent, tandis que ceux qui volent vers l'ouest l'évitent soigneusement.

Même à basse altitude, le vent dans la zone tempérée est, le plus souvent, un vent d'ouest. Dans la zone tempérée de l'hémisphère sud, par exemple, ce vent tourne toujours au-dessus de l'océan, entre l'Antarctique et les extrémités sud de l'Afrique, de l'Australie et de l'Amérique. C'est un vent violent, qui a donné à cette région située entre 40° et 50° de latitude sud le nom de « quarantièmes rugissants ». Autrefois, les voiliers qui devaient « doubler le cap Horn », au sud de l'Amérique, en passant de l'Atlantique au Pacifique, devaient parfois attendre des semaines que ce vent contraire cesse pendant les deux ou trois jours nécessaires. Doubler le cap Horn n'est jamais une plaisanterie, mais c'est infiniment plus dur dans le sens est-ouest que dans l'autre sens.

À chaque saute de vent, l'équipage du cap-hornier devait se précipiter pour serrer ou déployer cette montagne de toile...

Dans la zone tempérée de l'hémisphère nord, que nous habitons, le vent à basse altitude est aussi, en moyenne, un vent d'ouest. Mais il n'est pas régulier du tout. Ce qui gouverne le temps « variable » que nous connaissons bien, c'est la répartition des zones de hautes pressions et de basses pressions, c'est-à-dire des « anticyclones » et des « dépressions ».

En effet, la zone tempérée est un champ de bataille, la bataille entre les masses d'air chaud venant du tropique, et les masses d'air froid situées aux environs du cercle arctique, qui s'éloignent plus ou moins du pôle. Cette bataille bouleverse toute la zone, et y fait apparaître des régions de quelques centaines de kilomètres de largeur, où la pression est plus basse que la moyenne, et de plus en plus basse à mesure que l'on s'approche de leur centre. On appelle ces régions des *dépressions*.

Entre les dépressions, il y a des régions où, au contraire, la pression est plus haute que la moyenne, et de plus en plus haute à mesure que l'on s'approche de leur centre. On les appelle des *anticyclones* (nous verrons bientôt d'où vient ce nom).

Par exemple, le temps en France est largement gouverné par l'emplacement de la dépression qui rôde habituellement vers l'Irlande, et de l'anticyclone situé dans les environs des Açores. Mais dépressions et anticyclones se déplacent, évoluent, naissent et meurent... Leur emplacement et leur importance dépendent des masses d'air chaud et d'air froid qui arrivent dans la région, et le déplacement de ces masses d'air dépend de l'emplacement et de l'importance des dépressions et des anticyclones...

Aussi, la situation dans la zone tempérée est très compliquée. Nous ne pouvons pas tout comprendre de ce qui s'y passe, mais nous pouvons tout de même comprendre un certain nombre de choses. Par exemple, comment se déplace le vent autour d'une dépression.

Le vent autour d'une dépression

La première idée qui vienne à l'esprit, c'est que le vent se dirige tout droit vers le centre de la dépression, vers l'endroit où la pression est la plus basse. Et c'est bien ce qu'il essaie de faire. Mais dès que l'air est en mouvement, la rotation de la Terre sur elle-même le fait tourner.

Dans l'hémisphère nord, nous l'avons vu, l'air qui essaie d'aller du nord au sud, comme celui des alizés, est dévié vers l'ouest — c'est-à-dire vers sa droite. L'air qui essaie d'aller du sud vers le nord, comme celui des contre-alizés, est dévié vers l'est, c'est-à-dire vers sa droite.

De la même façon, l'air qui va vers une dépression, dans l'hémisphère nord, est dévié vers sa droite : vers l'ouest s'il vient du nord, et vers l'est s'il vient du sud.

Et c'est la même chose pour toutes les directions. Le seul air qui ne serait pas dévié, c'est celui qui vient exactement de l'ouest ou de l'est. Mais celui-là rencontre les autres, qui l'obligent à contourner, comme eux, la dépression par la droite.

Il s'installe ainsi, autour de la dépression, un système de

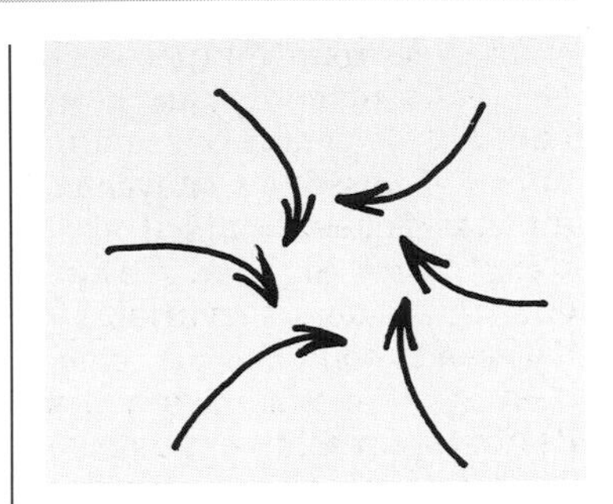

vents qui tournent sur eux-mêmes, en « se mordant la queue ». Et dans l'hémisphère nord, ces vents tournent toujours dans le même sens : ils contournent la dépression par la droite, comme les voitures qui tournent autour de l'agent installé au milieu d'une place.

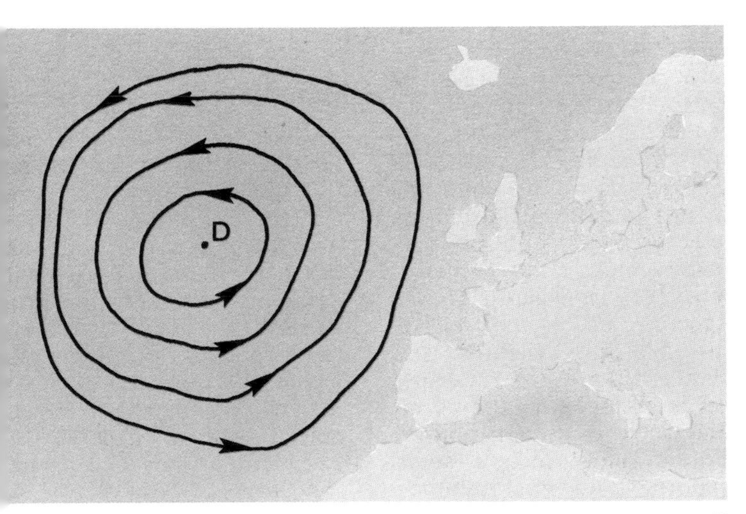

Dans l'hémisphère sud, c'est le contraire. Là, nous l'avons vu, l'alizé et le contre-alizé sont déviés vers leur gauche. De la même façon, c'est par la gauche que le vent contourne les dépressions, dans l'hémisphère sud.

Ainsi, la grande valse de la Terre commande la petite valse des vents autour de chaque dépression. C'est l'emplacement et l'importance des dépressions qui déterminent la direction du vent à un endroit donné. Par exemple, quand la dépression qui rôde sur la Grande-Bretagne se rapproche un peu, et qu'elle est très active, la Bretagne reçoit un vent du sud-ouest qui n'amène généralement rien de bon...

Ce que le vent amène dépend d'ailleurs d'autre chose : de la nature et de l'origine des masses d'air qui entrent dans la danse. Cela, nous en parlerons au prochain chapitre. Auparavant, et bien que cela nous fasse sortir de la zone tempérée, nous allons parler des dépressions les plus fortes et les plus spectaculaires : les cyclones tropicaux.

Les cyclones

Dans les régions voisines de l'équateur, le Soleil tape très fort, et l'air est à la fois chaud et très humide, au moins au-dessus des océans. Nous savons déjà que la zone équatoriale est une zone de basse pression. Mais à l'intérieur de cette zone, il se forme toujours des régions où la pression est encore plus basse qu'ailleurs.

Il arrive parfois que, sur l'une de ces régions, la pression baisse de façon catastrophique, parce qu'il se déclenche, à très grande échelle, la même suite d'événements que celle qui donne naissance au cumulus de beau temps : l'air saturé, en montant, est réchauffé par la condensation de la vapeur en gouttelettes, et continue à monter.

Quand, dans les régions équatoriales, une masse énorme d'air saturé se met à monter, il s'y forme des centaines de milliers de tonnes de gouttelettes, qui libèrent énormément de chaleur. Le tout monte très haut, et très vite, en laissant au-dessous une zone à très basse pression.

L'air avoisinant se précipite vers cette zone, mais comme d'habitude, il ne l'atteint pas directement : il se met à tourner autour, par la droite si cela se produit dans l'hémisphère nord. Si la dépression au centre est très forte, les vents qui tournent autour sont très rapides.

À ce niveau, la chose s'appelle une « dépression cyclonique », et on commence à la surveiller très sérieusement, grâce en particulier aux satellites météo. Généralement, ce grand tourbillon se met en mouvement. Par exemple, les dépressions de ce type qui se forment dans l'Atlantique, au large du Brésil, juste au nord de l'équateur, se mettent en marche vers le nord-ouest.

Le plus souvent, la dépression s'élargit, en devenant moins forte, et finit par s'effacer. Mais parfois, au contraire, elle se rétrécit, en devenant plus forte. Elle devient alors un monstre extrêmement dangereux, un cyclone tropical.

Le cyclone est une dépression très forte et très étroite. La pression au centre descend à 900 millibars (900 hPa), parfois même encore plus bas. À quelques dizaines de kilomètres du centre, la pression est toujours basse, mais presque normale : 980 millibars par exemple. Dans cette étroite région tournent en rond des vents formidables, dont la vitesse peut atteindre 300 km/h au voisinage du centre.

Tout en tourbillonnant sur lui-même, le cyclone se déplace en bloc, en général assez lentement. Par exemple, les cyclones qui se forment près du Brésil remontent d'abord vers le nord-ouest, puis vers le nord. Ils viennent alors dévaster les Antilles, parfois la côte sud des États-Unis. Il arrive même que certains franchissent cette côte, et tournent alors vers le nord-est pour venir mourir au-dessus de l'Atlantique.

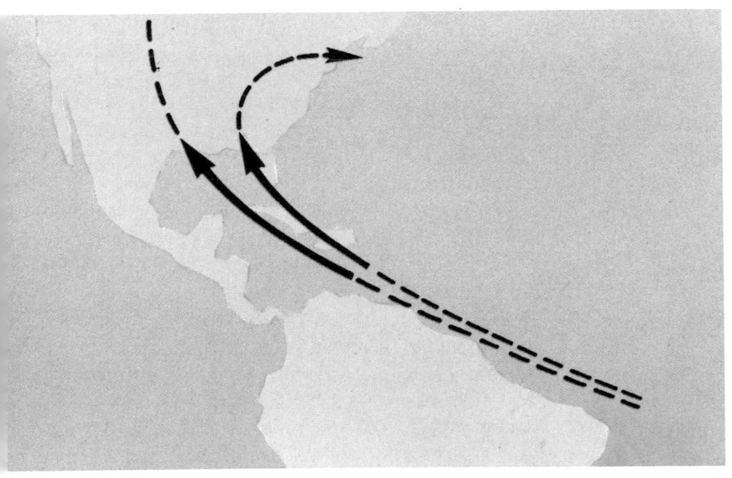

Si on se trouve sur le passage du cyclone, quand il se déplace du sud au nord, on voit d'abord le temps se gâter, puis le vent se met à souffler de l'est, de plus en plus fort, jusqu'à atteindre une vitesse effarante. Puis il tombe d'un seul coup : au centre du cyclone, dans une étroite région que l'on appelle « l'œil du cyclone », il n'y a pas de vent du tout, et en général la couche de nuages se déchire : on peut alors apercevoir le ciel.

Mais ce répit ne dure pas : dès que le centre est passé, le vent se remet brusquement à souffler à sa vitesse maximum, de l'ouest cette fois. Puis il ralentit peu à peu à mesure que le centre s'éloigne. Pendant tout ce temps il tombe des pluies torrentielles, et le vent soulève des vagues énormes qui viennent se briser sur les côtes.